WORDS TO LEARN AND
COLOUR IN
FRENCH

English translation

Designed and illustrated by Andy Everitt-Stewart.

Acknowledgement: Beatrice Janvier, for assisting with the translation.

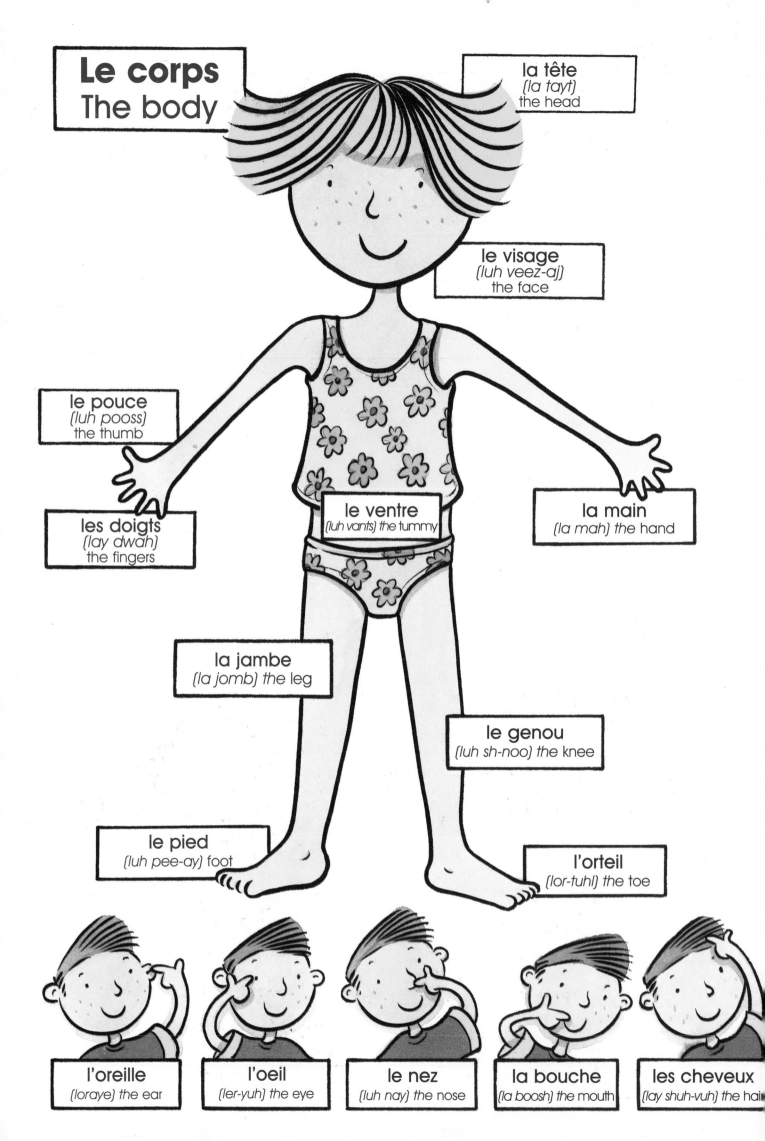

Le corps
The body

la tête
(la tayt)
the head

le visage
(luh veez-aj)
the face

le pouce
(luh pooss)
the thumb

les doigts
(lay dwah)
the fingers

le ventre
(luh vants) the tummy

la main
(la mah) the hand

la jambe
(la jomb) the leg

le genou
(luh sh-noo) the knee

le pied
(luh pee-ay) foot

l'orteil
(lor-tuhl) the toe

l'oreille
(loraye) the ear

l'oeil
(ler-yuh) the eye

le nez
(luh nay) the nose

la bouche
(la boosh) the mouth

les cheveux
(lay shuh-vuh) the hair

Les vêtements
The clothes

le tee-shirt
(luh tee-shert)
the t-shirt

la jupe
(la jewp) the skirt

le jean
(luh djeen) the jeans

le collant
(luh ko-lan)
the tights

la cravate
(la kra-vat) the tie

le pull-over
(luh pewlo-vair)
the pullover

le pantalon
(luh pan-ta-lon)
the trousers

la casquette
(la kass-ket) the cap

la robe
(la rob) the dress

le maillot de corps
(luh ma-yo duh kor)
the vest

le slip
(luh sleep) the pants

le gant
(luh gun)
glove

la chemise
(la shuh-meez) the shirt

la chausette
(la chosset) the sock

la ceinture
(la san-tewr) the belt

Ma famille
My family

② le père

① la tante

④ la sdeur

③ le frère

⑤ le grand-père

①	**la mère** *(la mair)* the mother
②	**le père** *(luh pair)* the father
③	**le frère** *(luh frair)* the brother

④	**la soeur** *(la ser)* the sister	⑥	**la grand-mère** *(la gron-mair)* the grandmother
⑤	**le grand-père** *(luh gron pair)* the grandfather	⑦	**la tante** *(la tohnt)* the aunt

6 le grand-mère

7 la mère

8 l'oncle

9 le chein

10 le chat

8 l'oncle
(l-onkl)
the uncle

9 le chien
(luh shee-an)
the dog

10 le chat
(luh sha)
the cat

Read the words at the bottom of these pages
and write them under the correct picture.

Dans la cuisine
In the kitchen

(1) **le four**
(luh foo-er)
the oven

(2) **la casserole**
(la kass-rol)
the saucepan

(3) **le grille-pain**
(luh greeyuh-pan)
the toaster

(4) **le lave-linge**
(luh lav-lanj)
the washing machine

(5) **l'évier**
(lev-yay)
the sink

(6) **la tasse**
(la tass)
the cup

(7) **la soucoupe**
(la soo-koop)
the saucer

(8) **le réfrigérateur**
(luh refree-jaira-ter)
the fridge

(9) **la carafe**
(la ka-raf)
the jug

(10) **la table**
(la tabl)
the table

Dans la salle de bain
In the bathroom

1. **l'eau**
   (lo)
   the water

2. **le savon**
   (luh sa-von)
   the soap

3. **la baignoire**
   (la be-nwar)
   the bath

4. **le dentifrice**
   (luh dontee-freess)
   the toothpaste

5. **la brosse à dents**
   (la brosse a-don)
   the toothbrush

6. **la serviette**
   (la sairv-yet)
   the towel

7. **la glace**
   (la glass)
   the mirror

8. **le lavabo**
   (luh la-vabbo)
   the basin

9. **les toilettes**
   (lay twa-lett)
   the toilet

10. **le tapis de bain**
    (luh ta-pee duh ban)
    the rug

Dans le salle de sejour
In the living room

① _____

② _____

③ _____

④ _____

⑤ _____

⑥ _____

⑦ _____

⑧ _____

⑨ _____

⑩ _____

Read the words below and write them in the correct boxes in the picture, then say them out loud.

① **la chaîne hi-fi**
(la shen hi-fi)
the stereo

② **le rideau**
(luh ree-do)
the curtain

③ **la fenêtre**
(la fuh-netr)
the window

④ **le fauteuil**
(luh fotuh-yuh)
the armchair

⑤ **la canapé**
(la kanna-pay)
the sofa

⑥ **le téléphone**
(luh tellay-fon)
the telephone

⑦ **le coussin**
(luh koo-san)
the cushion

⑧ **le vase**
(luh vaz)
the vase

⑨ **les fleurs**
(lay fler)
the flowers

⑩ **la télévision**
(la tellay-veez-yon)
the television

Dans la chambre
In the bedroom

1. _____
2. _____
3. _____
4. _____
5. _____
6. _____
7. _____
8. _____
9. _____
10. _____

① **la lampe**
(la lomp)
the lamp

② **la commode**
(la ko-mod)
the chest of drawers

③ **la table de nuit**
(la tabl duh noo-ee)
the bedside cabinet

④ **la corbeille**
(la kor-beye)
the bin

⑤ **le réveil**
(luh rev-ey)
the alarm clock

⑥ **le lit**
(luh lee)
the bed

⑦ **l'oreiller**
(loray-yay)
the pillow

⑧ **l'ours en peluche**
(loors-on-plewsh)
the teddy bear

⑨ **la brosse à cheveux**
(la bross-shuh-vuh)
the hairbrush

⑩ **la couette**
(la koo-ett)
the duvet

Dans le jardin public
In the park

1
la forêt
(la for-ey)
the forest

2
l'arbre
(lar-br)
the tree

3
la balançoire
(la ballon-swar)
the swings

4
le garçon
(luh gar-son)
the boy

5
la fille
(la fee-yuh)
the girl

6
le tourniquet
(luh toor-neek-ay)
the roundabout

7
le cerf-volant
(luh sair vollon)
the kite

8
le ballon de
football
*(luh ballon duh
foot-bol)*
the football

9
les lunettes de
soleil
*(lay lewn-et duh
sol-ay)*
the sunglasses

10
le champ
(luh shom)
the field

la clôture
(la klaw-tewr)
the fence

le nuage
(luh new-aj)
the cloud

le soleil
(luh so-lay)
the sun

le toboggan
(luh to-bo-gon)
the slide

la balançoire à bascule
(la bask-ewl)
the seesaw

l'herbe
(lairb)
the grass

le papillon
(luh pa-pee-you)
the butterfly

le chemin
(luh shu-man)
the path

le lac
(luh lak)
the lake

l'oiseau
(lwa-zo)
the bird

A l'école
At school

le feutre
(luh fuh-tr)
the felt-tip pen

la gomme
(la gom)
the rubber

le livre
(luh leevr)
the book

le crayon
(luh kray-on)
the pencil

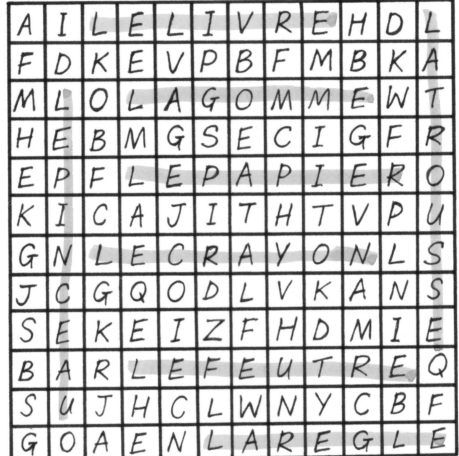

A	I	L	E	L	I	V	R	E	H	D	L
F	D	K	E	V	P	B	F	M	B	K	A
M	L	O	L	A	G	O	M	M	E	W	T
H	E	B	M	G	S	E	C	I	G	F	R
E	P	F	L	E	P	A	P	I	E	R	O
K	I	C	A	J	I	T	H	T	V	P	U
G	N	L	E	C	R	A	Y	O	N	L	S
J	C	G	Q	O	D	L	V	K	A	N	S
S	E	K	E	I	Z	F	H	D	M	I	E
B	A	R	L	E	F	E	U	T	R	E	Q
S	U	J	H	C	L	W	N	Y	C	B	F
G	O	A	E	N	L	A	R	E	G	L	E

le pinceau
(luh pan-so)
the paintbrush

le papier
(luh pap-yay)
the paper

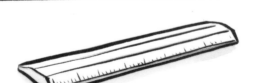

la règle
(la regl)
the ruler

la trousse
(la trews)
the pencil case

This puzzle is called a word search. Look at the pictures and say their names in French, then see if you can find them in the word search.

1. **la carte**
   (la kart)
   the map

2. **le dessin**
   (luh dessan)
   the drawing

3. **le tableau noir**
   (luh ta-blaw nwar)
   the blackboard

4. **la peinture**
   (la pan-tewr)
   the paint

5. **le bureau**
   (luh bew-ro)
   the desk

6. **le professeur**
   (luh proff-ess-er)
   the teacher

7. **la pendule**
   (la pon-dewl)
   the clock

8. **l'ordinateur**
   (lordee-na-ter)
   the computer

There are 8 crayons hidden in this picture, see if you can spot them, and draw a circle around them.

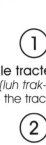

1

le tracteur
(luh trak-ter)
the tractor

2

le lapin
(luh la-pan)
the rabbit

3

le cheval
(luh shuh-val)
the horse

4

le coq
(luh kok)
the cock

5

le fermier
(luh fairm-yay)
the farmer

6

la poule
(la pool)
the hen

7

le poussin
(luh poo-san)
the chick

8

la chèvre
(la shevr)
the goat

9

la souris
(la soo-ree)
the mouse

10

le mouton
(luh moo-ton)
the sheep

À la ferme
On the farm

 l'agneau
(lan-yo)
the lamb

 le veau
(luh vo)
the calf

 le taureau
(luh to-ro)
the bull

 la vache
(la vash)
the cow

 la grange
(la gronj)
the barn

 l'oie
(lwa)
the goose

 le dindon
(luh dun-don)
the turkey

 le cochon
(luh koshon)
the pig

 le cochonnet
(luh koshon-ay)
the piglet

 le canard
(luh kunn-ar)
the duck

Au supermarché
At the supermarket

③ le pain _ _ _ _ _ _

② la confiture _ _

④ les saucisse

① la bouteille

⑤ le fromage _ _ _

⑦ le lait _ _ _ _ _ _ _

⑥ le sac _ _ _ _ _ _

⑧ le b_ eurre _ _

⑩ le poisson _ _ _

⑨ le saucisson _

⑦ **le lait**
(luh lay)
the milk

① **la bouteille**
(la boot-ay)
the bottle

④ **les saucisses**
(lay sos-ees)
the sausages

⑧ **le beurre**
(luh ber)
the butter

② **la confiture**
(la kon-fee-tewr)
the jam

⑤ **le fromage**
(luh from-aj)
the cheese

⑨ **le saucisson**
(luh so-see-son)
the salami

③ **le pain**
(luh pan)
the bread

⑥ **le sac**
(luh sak)
the bag

⑩ **le poisson**
(luh pwa-son)
the fish

⑪ le poulet __
⑫ le yaourt __
⑬ la viande ____
⑭ le boîtes de
conserve
⑮ l'oeuf __
⑯ le sucre __
⑰ la pizza ____
⑱ le miel ____
⑲ les gâteaux secs
⑳ la farine __

⑪ **le poulet**
(luh poo-lay)
the chicken

⑫ **le yaourt**
(luh ya-oort)
the yoghurt

⑬ **la viande**
(la vee-ond)
the meat

⑭ **les boîtes de conserve**
(lay bwatt duh kon-sairv)
the tins

⑮ **l'oeuf**
(lerf)
the egg

⑯ **le sucre**
(luh sewkr)
the sugar

⑰ **la pizza**
(la peetza)
the pizza

⑱ **le miel**
(luh mee-ell)
the honey

⑲ **les gâteaux secs**
(lay ga-to sek)
the biscuits

⑳ **la farine**
(la fa-reen)
the flour

Read the Fench names at the bottom of these
pages and write them next to the correct picture.
All these things can be bought in a supermarket.

La fête
The party

1. la paille
(la pie)
the straw

2. la boisson
(la bwi-son)
the drink

3. les chips
(lay sheeps)
the crisps

4. la carte de fête
(la kart duh fait)
the card

5. les bougies
(lay boo-jee)
the candles

6. les petits gâteaux
(lay petee ga-to)
the small cakes

7. le gâteau
(luh ga-to)
the cake

8. la glace
(la glass)
the ice cream

le verre
(luh vair)
the glass

le ballon
(luh ballon)
the balloon

l'appareil photo
(lappa-ray foto)
the camera

la corbeille à fruits
(la kor-bey a fru-i)
the fruit bowl

les décorations
(lay decor-ashons)
the decorations

le cadeau
(luh kaddo)
the present

le chapeau en
papier
*(luh shappo on
pap-ya)*
the party hat

Vacances
Holidays

le château de sable
(luh shatto duh sabl)
the sandcastle

le chapeau de paille
(luh shappo duh pie)
the sunhat

les bottines
(lay bo-teen)
the boots

le maillot de bain
(luh mayo duh ban)
the swimsuit

la mitaine
(la mittan)
the mitten

le chapeau
(luh shappo)
the hat

l'écharpe
(lay-sharp)
the scarf

le glaçon
(luh glasso)
the icicle

le chapeau de paille	le seau
le château de sable	le you you
le maillot de bain	le crabe
la glace	la dip de bain
le coquillage	la pelle

l'été
(lett-ay)
the summer

There are 20 objects on these 2 pages.
Read their names in French and write their
French names in the correct box for either
summer or winter holidays.

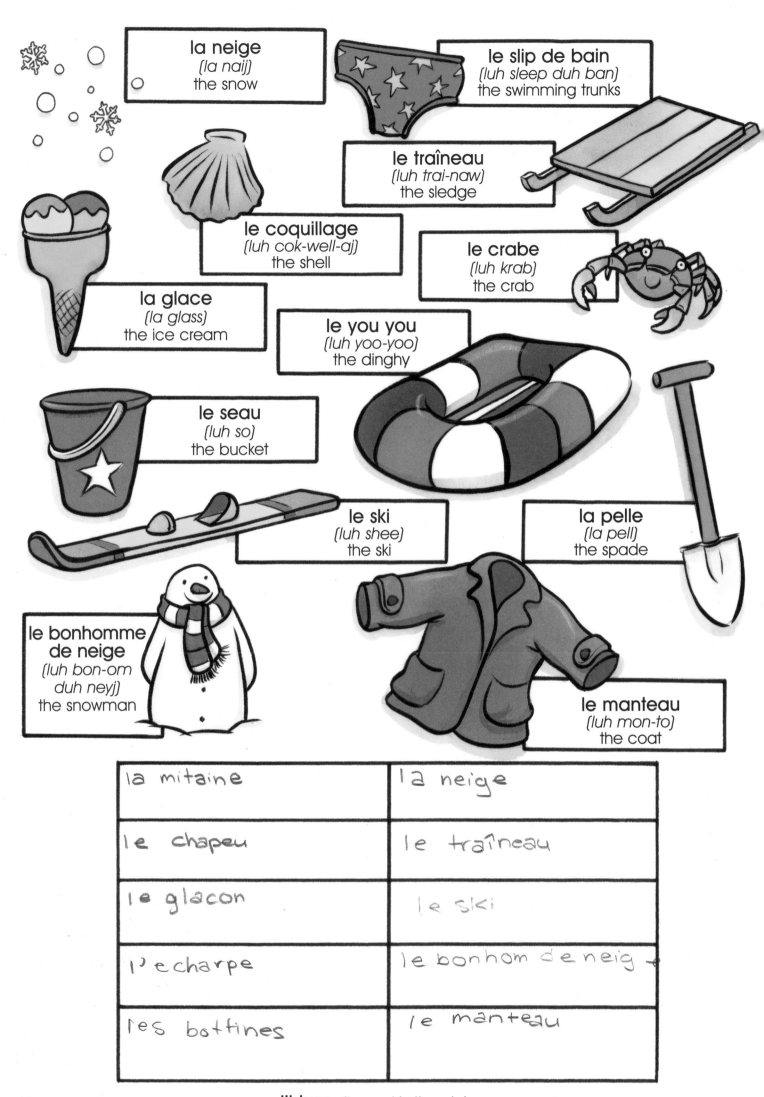

la neige
(la naij)
the snow

le slip de bain
(luh sleep duh ban)
the swimming trunks

le traîneau
(luh trai-naw)
the sledge

le coquillage
(luh cok-well-aj)
the shell

le crabe
(luh krab)
the crab

la glace
(la glass)
the ice cream

le you you
(luh yoo-yoo)
the dinghy

le seau
(luh so)
the bucket

le ski
(luh shee)
the ski

la pelle
(la pell)
the spade

le bonhomme de neige
(luh bon-om duh neyj)
the snowman

le manteau
(luh mon-to)
the coat

la mitaine	la neige
le chapeu	le traîneau
le glacon	le ski
l'echarpe	le bonhom de neig
les bottines	le manteau

l'hiver *(lee-vair)* the winter

1

le rhinocéros
(luh reeno-sairos)
the rhinoceros

le serpent
(luh sair-pon)
the snake

l'éléphant
(lel-aifon)
the elephant

le dauphin
(luh daw-fan)
the dolphin

la tortue
(la tor-tew)
the tortoise

le crocodile
(luh kroko-deel)
the crocodile

le zèbre
(luh zairbr)
the zebra

le perroquet
(luh perr-okai)
the parrot

Au zoo
At the zoo

l'ours
(loors)
the bear

le singe
(luh sanj)
the monkey

la girafe
(la jee-raf)
the giraffe

le lion
(luh lee-on)
the lion

le tigre
(luh teegr)
the tiger

le kangourou
(luh kon-goo-roo)
the kangaroo

le pingouin
(luh pan-gwin)
the penguin

l'hippopotame
(lippo-pot-am)
the hippopotamus

Le nombres
The numbers

1 un
(an)

2 deux
(duh)

3 trois
(twa)

4 quatre
(katr)

5 cinq
(sank)

6 six
(sees)

7 sept
(sett)

8 huit
(weet)

9 neuf
(nerf)

10 dix
(dees)

11 onze
(onz)

12 douze
(dooz)

13 treize
(trez)

14 quatorze
(ka-torz)

15 quinze
(kanz)

16 seize
(sez)

17 dix-sept
(deesett)

18 dix-huit
(deez-weet)

19 dix-neuf
(deez-nerf)

20 vingt
(van)

Les formes
The shapes

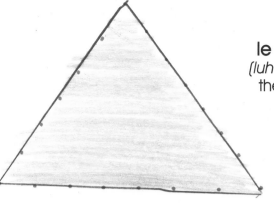

le triangle
(luh tree-ongl)
the triangle

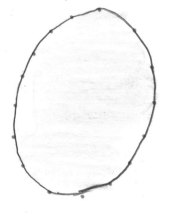

l'ovale
(lo-val)
the oval

le carré
(luh karray)
the square

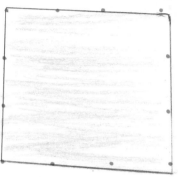

l'étoile
(letwal)
the star

le cercle
(luh sairkl)
the circle

le rectangle
(luh rek-tongl)
the rectangle

le croissant
(luh krwa-son)
the crescent

Read out the French names of these shapes, then join the dots and colour them in.

Le marché
The market

l'ananas
(la-na-na)
the pineapple

la poire
(la pwar)
the pear

la banane
(la ban-an)
the banana

la pomme
(la pom)
the apple

la fraise
(la frez)
the strawberry

l'orange
(loronj)
the orange

le citron
(luh seetron)
the lemon

la carotte
(la ka-rot)
the carrot

le champignon
(luh shom-peen
-yon)
the mushroom

le poivron
(luh pwa-vron)
the pepper

l'oignon
(loun-yon)
the onion

la tomate
(la to-mat)
the tomato

le concombre
(luh kon-kombr)
the cucumber

la laitue
(la letew)
the lettuce

les petits pois
(lay puh-tee pwa)
the peas

le maïs
(luh ma-ees)
the sweetcorn

La maison
The house

There are 8 differences between these pictures, can you find them? Read out the new French words.

① **l'oiseau**
(lwa-zo) the bird

② **le garage**
(luh ga-raj) the garage

③ **l'escargot**
(leskar-go) the snail

④ **la cheminée** *(la shu-mee-nai) the* chimney

⑤ **le toit**
(luh twa) the roof

⑥ **le pot de fleurs**
(luh po duh fler)
the flowerpot

⑦ **la feuille**
(la fer-yuh)
the leaf

⑧ **la porte**
(la port) the door

⑨ **la barrière**
(la bar-yair)
the gate

⑩ **le buisson**
(luh bwee-son)
the bush

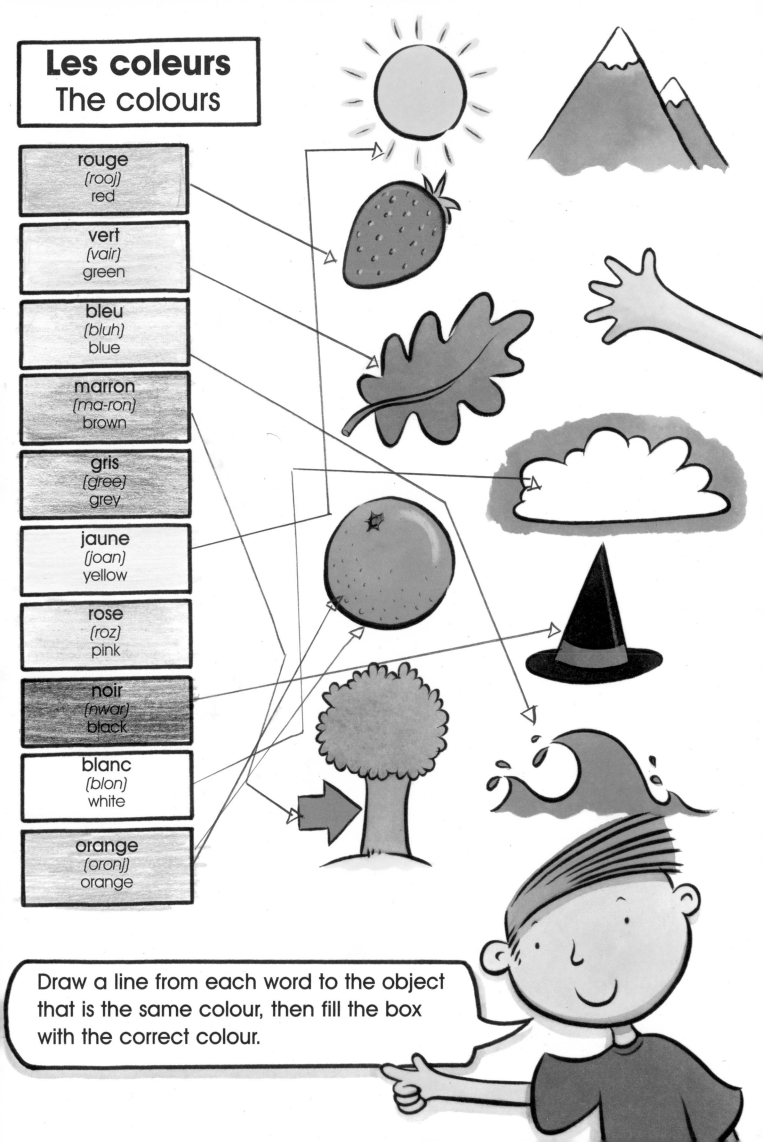

Les coleurs
The colours

rouge
(rooj)
red

vert
(vair)
green

bleu
(bluh)
blue

marron
(ma-ron)
brown

gris
(gree)
grey

jaune
(joan)
yellow

rose
(roz)
pink

noir
(nwar)
black

blanc
(blon)
white

orange
(oronj)
orange

Draw a line from each word to the object that is the same colour, then fill the box with the correct colour.

Les sports
The sports

le tennis de table
(luh tennees duh tabl)
table tennis

le football
(luh foot-bol)
football

le ski (luh skee) skiing

le basket
(luh bass-ket)
basketball

le rugby
(luh rewg-bee)
rugby

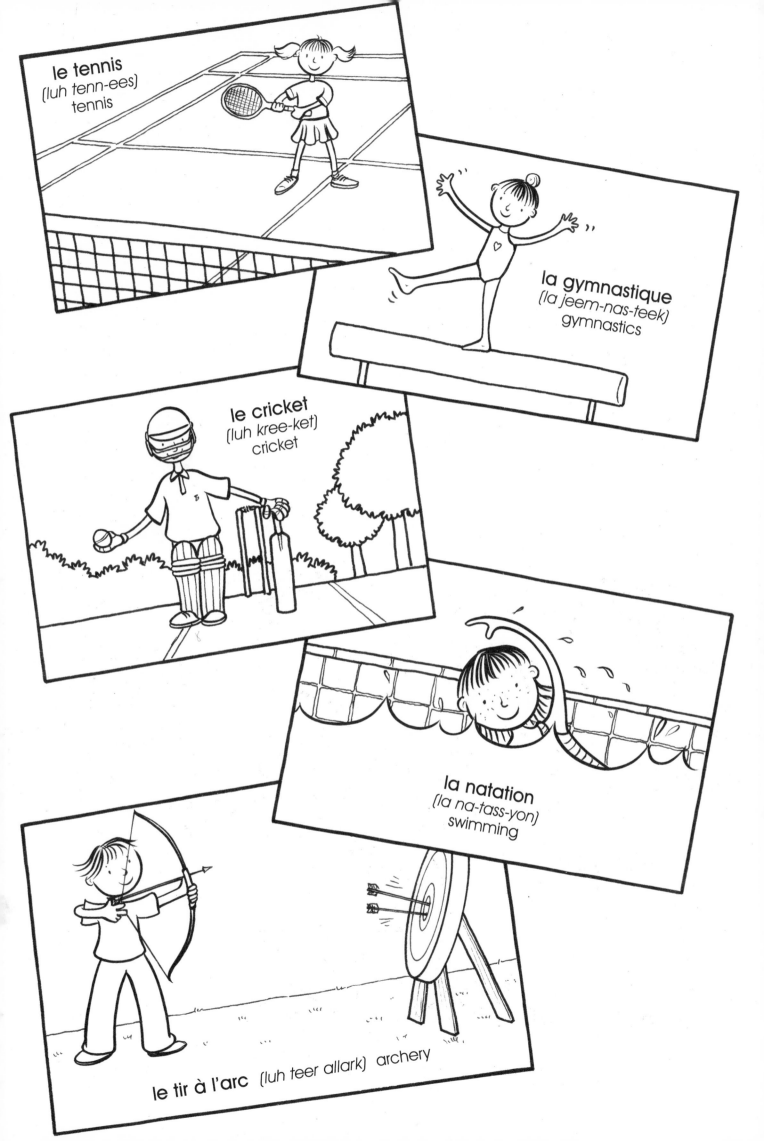

le tennis
(luh tenn-ees)
tennis

la gymnastique
(la jeem-nas-teek)
gymnastics

le cricket
(luh kree-ket)
cricket

la natation
(la na-tass-yon)
swimming

le tir à l'arc *(luh teer allark)* archery

Join the dots to find out what we are holding and then colour it in, try to remember the colours in French.